Cose che ho imparato troppo tardi

e altre verità minori

Colui che campa
di vili smorzate,
muore
di vili smorzate!

Charles M. Schulz

Cose che ho imparato troppo tardi

e altre verità minori

Baldini&Castoldi

Traduzione di Ranieri Carano

www.snoopy.com

Milano
ISBN 88-8089-984-8

Niente fa più eco
di una cassetta
della posta vuota.

Purtroppo
è molto difficile
dimenticare
una persona
bevendo orzata!

Ogni volta
che c'è una
buona proposta,
qualcuno tira
in ballo
il bilancio!

I migliori allenatori stanno in tribuna.

La sottrazione
è la penosa
sensazione
che uno oggi
sa meno
di quanto
sapeva ieri.

2,956
-743

La mia vita
se ne va
troppo in fretta...
L'unica mia speranza
è che si facciano
gli straordinari.

La vita
è assai di più
che guardare
la Tv!

I peccati
dello stomaco
ricadono sul
corpo intero.

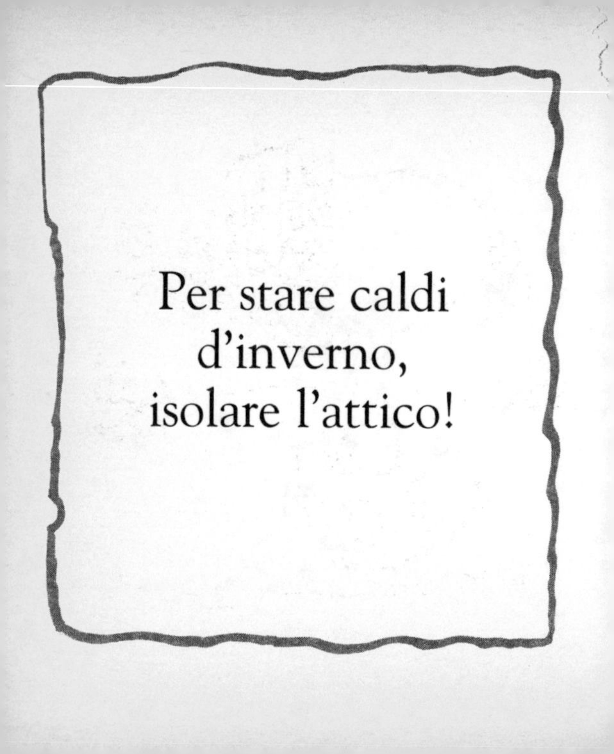

Per stare caldi
d'inverno,
isolare l'attico!

Quando
ci si deve alzare
alle 7 in punto,
le 6 e 59 sono
il momento
peggiore del giorno!

Quelli che
praticano il jogging
devono fare
attenzione...
è facile imbattersi
in un commento
tagliente!

Il collo odia
l’esercizio fisico.
Se i colli
fossero piedi,
non faremmo
un passo.

Quando nessuno
ti ama,
devi far finta
che tutti ti amino.

Le estati
volano sempre...
gli inverni
camminano!

Se sei depresso,
è d'aiuto appoggiare
la testa al braccio
e fissare il vuoto.
Se sei insolitamente
depresso, forse dovrai
cambiare di braccio.

Anche se
ce la metti tutta,
non riesci
a governare
una ciotola
per cani.

La cosa peggiore
andando al mare
è attraversare scalzi
un parcheggio
rovente!

Se la luce viaggia
tanto in fretta,
perché i pomeriggi
sono così lunghi?

«Come arrostire un pesce spada»: fargli un sacco di domande scottanti!

Una buona
istruzione
è la migliore
alternativa
a una madre
invadente.

I piedi
ce l'hanno sempre
con qualcuno
o qualcosa.

Appena mi alzo
la mattina
ho una seria crisi
di identità.

Se tieni le mani
all'ingiù, otterrai
il contrario
di quello per cui
stai pregando.

Le gite migliori
sono quelle
che ti riportano
a casa per
mezzogiorno.

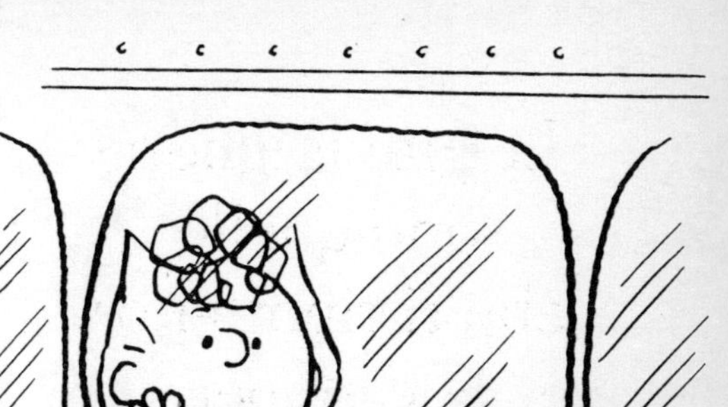

Una delle
più grandi gioie
nella vita
è abbuffarsi di cibi
a basso tenore
calorico!

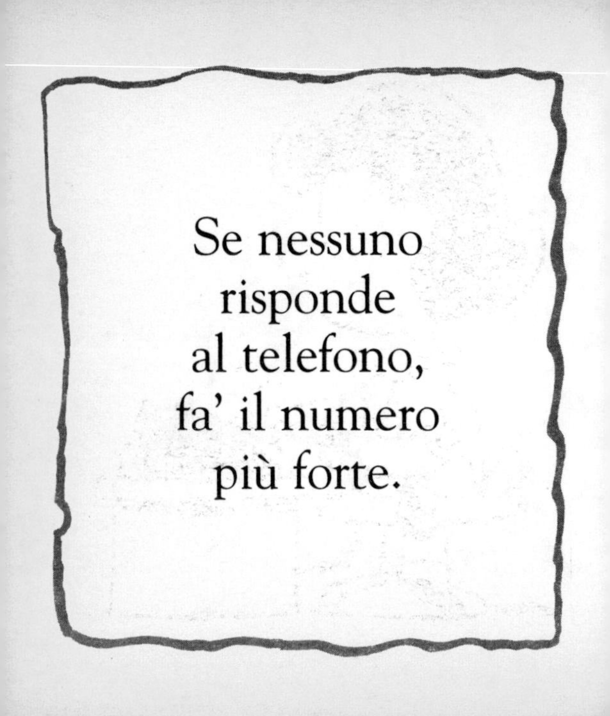

Se nessuno
risponde
al telefono,
fa' il numero
più forte.

Non si può
scrivere un tema
importante prima
di colazione.

Non lasciar
mai cadere
una scatola
di lustrini
su un tappeto
peloso!

Mai starsene
svegli la notte
a rivolgersi
domande
a cui non si sa
rispondere...

Non c'è niente
di più imbarazzante
che abbaiare
all'albero sbagliato!

C'è una certa
differenza
tra una filosofia
e un adesivo
per paraurti!

BUONA GIORNATA

Tieni d'occhio
il cestino
della colazione,
se no
te lo scippano.

La vita
è più facile
se si teme
soltanto un giorno
alla volta.

Dieci minuti
prima di andare
a una festa
non è il momento
adatto per imparare
a ballare!

Non chiedere mai
al tuo segretario
di rileggere qualcosa.

La vitamina C
non ti rende
impermeabile
all'acqua!

I piedi dovrebbero
rimanere svegli
nel caso ci sia
da andare in fretta
in qualche posto!

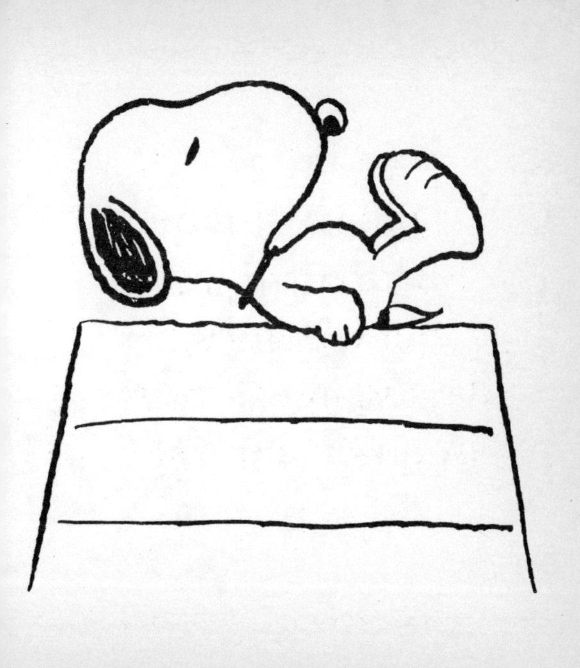

Prova
ad accennare
al matrimonio
davanti
a un musicista:
verrai sommersa
dal frastuono!

Per quanto ti possa
dare da fare,
non riuscirai mai
a costruire
un uomo di pioggia.

Una ciotola
sotto sorveglianza
non si riempie
mai.

Le varie materie possono rovinarti la media!

Un libro
di psicologia
non è
di alcuna utilità
se sei in grado
di capirlo!

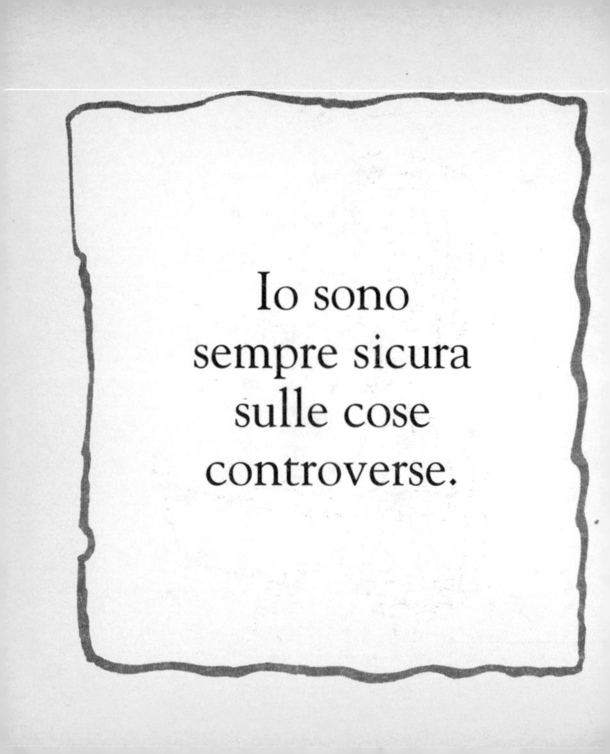

Io sono
sempre sicura
sulle cose
controverse.

Gli innamorati
non mandano
lettere-tipo.

L'uccello pigro
non cattura
neppure
il verme pigro!

Ho imparato
una sola cosa
sull'algebra:
non la si deve
prendere
troppo sul serio.

a(b-c)=ab-ac

È impossibile
essere tristi
quando si sta
seduti dietro
una toffoletta.

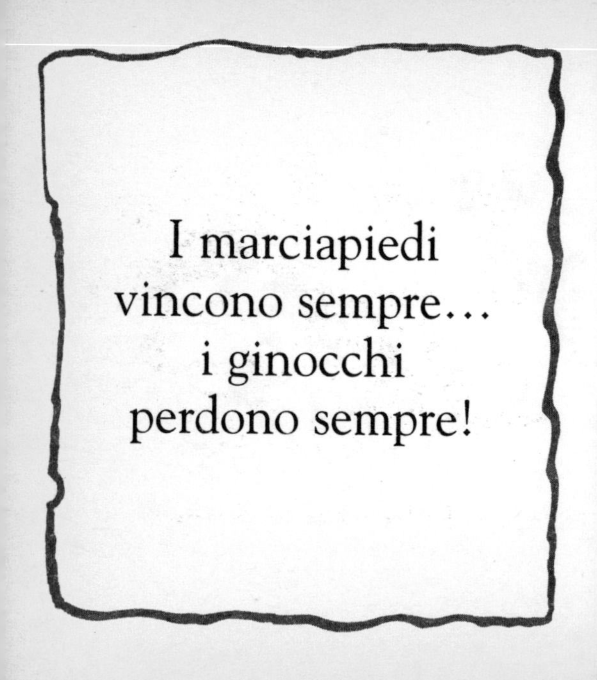
I marciapiedi
vincono sempre...
i ginocchi
perdono sempre!

Un pollice
si gusta meglio
a temperatura
ambiente!

È bello avere una
«bellezza sommessa»,
ma ogni tanto
dovrebbe parlare
ad alta voce.

Non dividere
mai il letto
con un uccello
irrequieto!

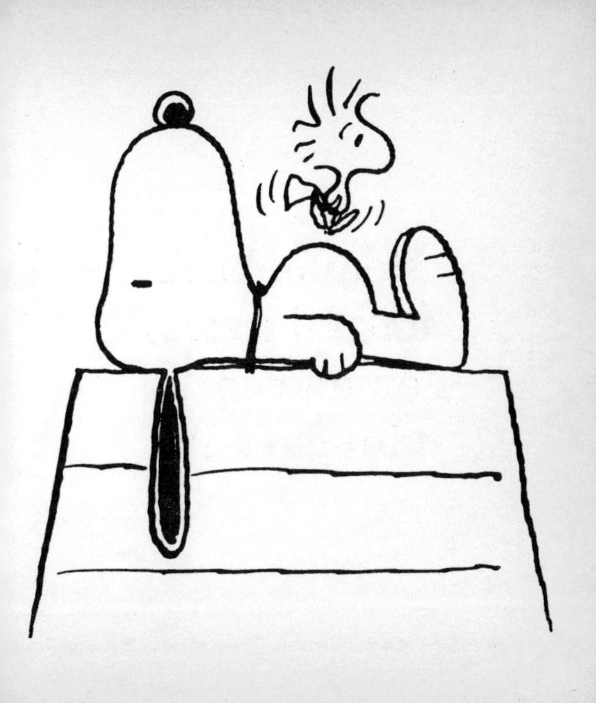

Essere bisbetica
tutto il giorno
fa venire
una gran fame.

Quando perdiamo,
mi sento a terra...
Quando vinciamo,
mi sento in colpa!

Avrei vinto
se non fossi
incappato
in un pessimo
finale!

La vita è come
un cono di gelato:
bisogna imparare
a leccarla!

Non prendetevela
con me
se sono nata con
i geni bisbetici.

Il dialogo
tra una generazione
e l'altra
è sempre difficile.

Avere un'aria
interessata è bene,
ma un'aria annoiata
è più facile
per gli occhi.

Il segreto della vita
sta nel trovarsi
nella stanza giusta!

CHIRURGIA
→
EMERGENZA
←
VISITATORI
→
ACCETTAZIONE
←

La vita è piena
di scelte, ma a te
non ne viene data
alcuna!

Segreteria
AVVISO
I CORSI DI ARTE, APPLICAZIONI TECNICHE E FRISBEE SONO COMPLETI

Finito di stampare nel gennaio 2001
per conto di Baldini&Castoldi S.p.A.
da «La Tipografica Varese S.p.A.»